folio benjamin

ISBN : 2-07-054804-X

Numéro d'édition : 132469
Loi n° 49-956 du 16 juillet 1949
sur les publications destinées à la jeunesse
1er dépôt légal : octobre 2001
Dépôt légal : septembre 2004
Imprimé en Italie par Editoriale Lloyd
Réalisation Octavo

Pef

Rendez-moi mes poux !

GALLIMARD JEUNESSE

Mathieu habitait un luxueux appartement
de la résidence privée des « Nouveaux
Seigneurs ». Un appartement avec beaucoup
de vitres et une serrure à alarme-laser.
Avec deux télés, un magnétoscope
à télécommande et un ouvre-boîte électrique.

Mais Mathieu s'ennuyait tout seul à la maison. Ses parents partaient très tôt le matin pour éviter les embouteillages sur l'autoroute de l'Ouest.

À leur retour, tard le soir, ils trouvaient souvent Mathieu endormi parmi ses jeux vidéo ou électroniques. Il en avait trente-huit, plus tous ceux qu'il empruntait à ses copains.

– Il lui faudrait une petite sœur, suggérait son père. Il pourrait jouer avec.

– Pas question, répliquait sa mère, je serais obligée de m'arrêter de travailler, et on ne pourrait plus payer le loyer de l'appartement.

– Ah ! disait le père.

Un jour, Mathieu sentit
que ça le démangeait dans
sa tête. Et en se grattant
très fort, il découvrit
qu'il avait des poux.

– Oh ! fit-il,
des poux !
Je poux aime,
un pou,
beau pou,
à la poulie,
pas du pou !

Mathieu ne le savait pas, mais cette phrase, dite par hasard, était une phrase magique. Elle donne aussitôt la parole aux poux et les rend domestiques, fidèles et obéissants. Mathieu en tira une poignée de ses cheveux et leur souhaita la bienvenue sur lui. Puis il les peignit en rouge et en jaune et organisa un tournoi de pou-de-balle.

Le soir venu il rangea ses nouveaux copains dans une boîte d'allumettes et leur fit un lit douillet avec une mèche de ses cheveux.
– Si ma mère vous voit, vous êtes fichus. Vous voulez un peu de sucre en poudre ?
– Jamais avant de dormir, à cause des caries dentaires, répondirent les poux soucieux de leur santé. Bonne nuit, Mathieu !

Lorsque ses parents revinrent du travail, ce fameux jour, Mathieu était bien éveillé et de fort bonne humeur. Il se permit de chatouiller sa mère :

– Arrête Mathieu, on est fatigué !

– Ah ! vous avez eu un empouteillage ?

– On dit embouteillage, Mathieu, rectifia son père.

– Je sais, fit Mathieu en allant rire sous ses couvertures.

Et ses parents estimèrent que leur fils devenait raisonnable, plus mûr, et qu'il n'avait plus besoin de petite sœur.

Les poux se plaisaient beaucoup
sur Mathieu. Leur ami les nourrissait
deux fois par jour en saupoudrant sa tête
de chocolat râpé.

– Quand vous serez dix mille, promettait Mathieu, je vous installerai dans un sac en plastique transparent et on montera sur la tour Eiffel !

– Emmène-nous avec toi à l'école, suppliaient les poux.
– Jamais de la vie ! s'écriait Mathieu. Marie-Rose, ma maîtresse, elle vous a en horreur, elle passe son temps à fouiller nos cheveux.

Quand elle en trouve un, elle le coince dans une diapositive et elle le projette sur l'écran. Elle nous fait une leçon de sciences pour nous apprendre à vous détester !
– Quelle horreur ! s'exclamaient les poux.

– Et ce n'est pas tout, expliquait encore Mathieu, Monsieur Parrapouh, le directeur de l'école, on l'appelle le Bombardier. Il nous désinfecte avec des gaz toxiques et ça vous tue.
– Bon, admettaient les poux, mieux vaut rester sagement chez toi, à attendre ton retour.
Dans la journée les poux faisaient le ménage de leurs dortoirs, les boîtes d'allumettes.

Il y en avait quatre-vingts, à présent,
sur plusieurs étages et bien exposées au Sud,
sous le lit. Parfois ils partaient en promenade
dans les brosses à dents ou les brosses
à chaussures. Elles leur rappelaient la tête de
Mathieu, en moins désordre et en plus artificiel.
Mais dès le retour de leur ami, ils lui sautaient
dessus et ils retrouvaient le monde sauvage
et plein de surprises des vrais cheveux.

Depuis qu'il avait des poux, Mathieu
ne se faisait pas prier pour aller se coucher.
Il savait que, pendant la journée, les poux
avaient parcouru des pages et des pages
de livres dans la bibliothèque de ses parents.

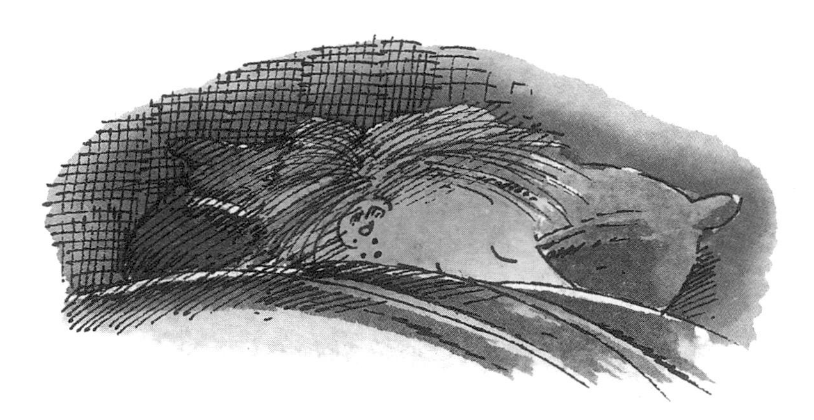

Et Mathieu s'endormait en écoutant
des histoires fantastiques racontées par
une demi-douzaine de poux assis en rond
dans le creux de son oreille.

Mais pour les poux le jour le plus attendu
de la semaine était le mercredi, jour de piscine.
Mathieu les emmenait tous dans la salle d'eau
où il se faisait couler un bain moussant.
Puis il fixait dans ses cheveux une dizaine
d'allumettes.

Ces allumettes servaient de tremplins,
et la baignoire devenait une piscine à poux,
catégorie olympique.
Les petits poux pataugeaient dans le porte-savon et les grands poux se payaient de sacrées parties en escaladant Mathieu et en courant sur les tremplins.
Et Mathieu ne voyait plus le temps passer tellement il était heureux…

Hélas, un jour, sa mère revint
plus tôt que prévu. De l'entrée
elle entendit couler l'eau du bain :
– C'est bien, Mathieu, tu commences
à prendre soin de toi !
Elle poussa la porte et juste après,
un cri terrible :

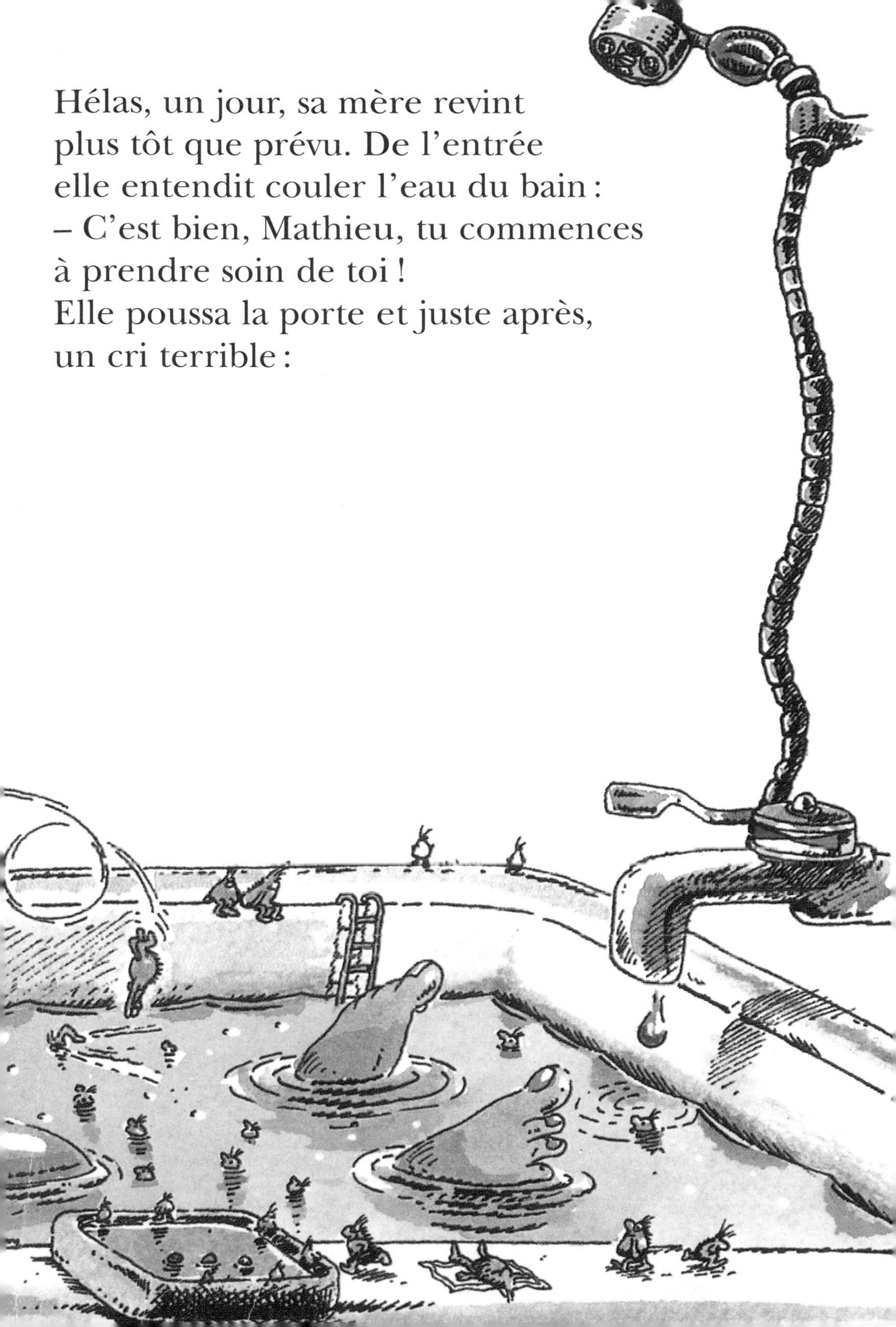

– Mais c'est é-pou-vantable !…
Sur la baignoire flottait une sorte d'iceberg tout noir : la tête de Mathieu.
– Habille-toi pou de suite ! hurla sa mère.
Pour les poux, le mot épouvantable est un mot maudit, un mot qui les paralyse. Fini, l'enchantement ! Les poux ne pouvaient plus, ne parlaient plus, n'obéissaient plus…
– Sors de là, cria encore sa mère, on va chez le pharmacien !
– Mais c'est pas grave du pou, maman !

– Tais-toi et ne me pousse pas à pou !
Mais la maman de Mathieu avait bien trop honte de pou ce qu'il lui arrivait pour oser pousser la porte d'une pharmacie.
« Nous ne sommes pas pauvres et mon fils a des poux », répétait-elle sans cesse.
De toute façon, il y avait bien trop de monde à la pharmacie Pourot et, comme par hasard, ses deux voisines de palier.

Et, pouis l'autre pharmacie était fermée pour cause de répouration, ses poutres pourries étant devenues pourfaitement dangereuses pour la poupulation.

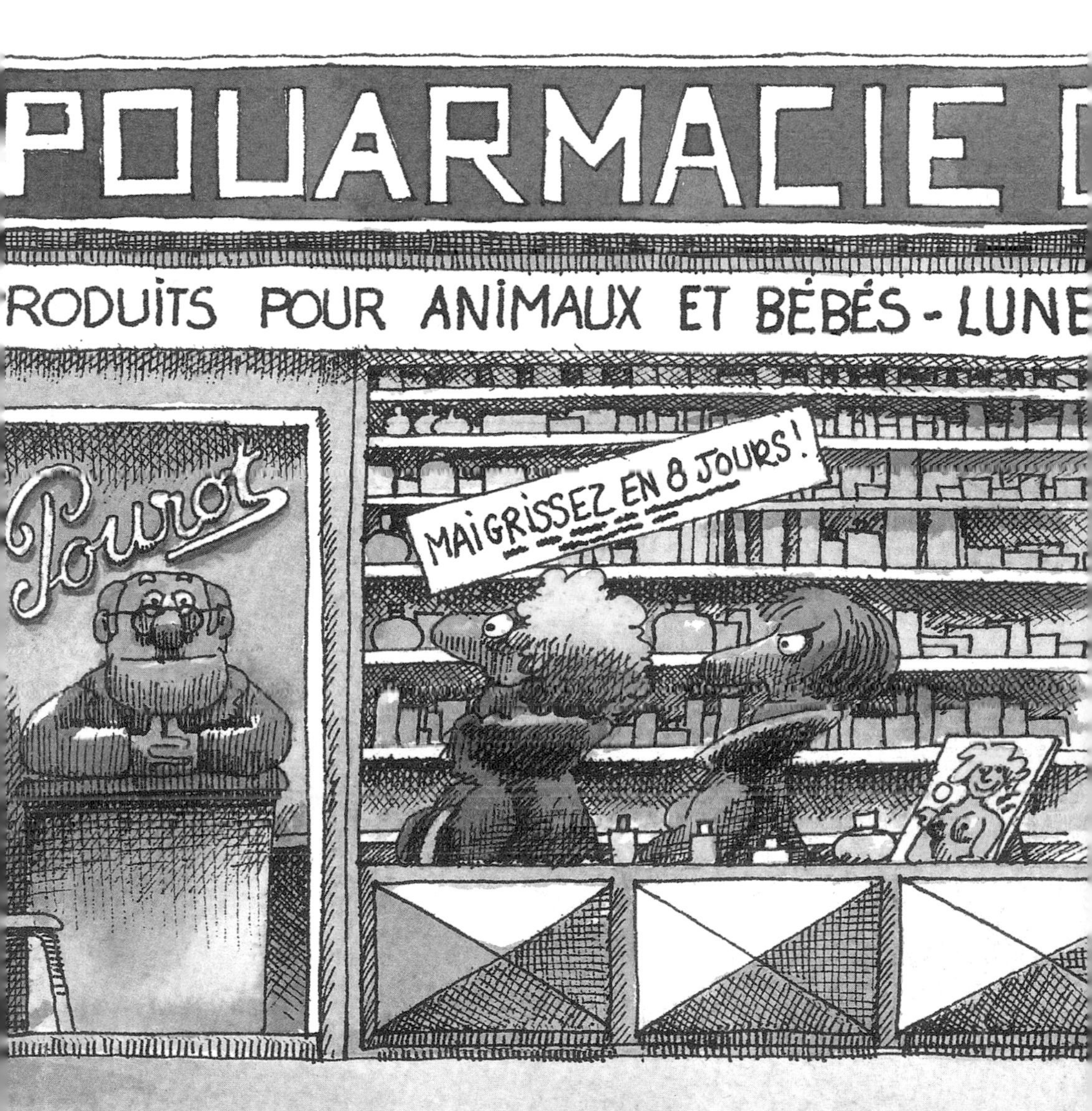

– Je n'en poux plus, haletait la mère de Mathieu en poussant d'affreux poupirs. Je ne vois plus qu'une solution : qu'on te poupe les cheveux, et pou vite que çà !

– Mais, Madame, répondit le coiffeur, c'est impoussible. Je ne pourrai supporter de voir les poux de votre fils courir à poutes jambes sur les têtes de mes clients qui attendent patiemment leur pour !

Mathieu et sa mère poursuivirent leur chemin
et apouerçurent soudain des militaires
dont les têtes étaient entièrement rasées.
– Vite, à la caserne, ordonna-t-elle à Mathieu.

POUCHERIE

Là-bas le coiffeur des soldats se montra pouarticulièrement aimable :
– Nous avons même un aspourateur qui va nous dépouarrasser de cette vermine.

Cinq minutes plus tard Mathieu n'avait plus un pou sur la tête. Et plus de cheveux non plus.

Sa tête était rasée et sa mère était ravie.
Elle avait pu téléphoner à son mari et la belle et propre voiture de la famille s'était arrêtée devant la porte de la caserne.
Mathieu monta à l'arrière en maugréant :
– Rendez-moi mes poux !
– Tu parles, qu'on va te les rendre, râla son père. Confisqués !
Tu ne les reverras plus !

– Rendez-moi mes poux, insistait Mathieu.
– Jamais ! Tu es privé de poux !

Et le père de Mathieu regarda sévèrement son fils dans le rétroviseur.
– Faudra que je conduise la voiture au garage, ajouta-t-il, elle fume, c'est tout noir, derrière !...

Mais, était-ce vraiment de la fumée ?...

L'AUTEUR - ILLUSTRATEUR

Né en 1939, fils de maîtresse d'école, **Pef** a vécu toute son enfance enfermé dans diverses cours de récréation. Il a pratiqué les métiers les plus variés comme journaliste ou essayeur de voitures de course. À trente-huit ans et deux enfants, il dédie son premier livre *Moi, ma grand-mère*... à la sienne, qui se demande si seulement son petit-fils sera sérieux un jour. C'est ainsi qu'il devient auteur-illustrateur pour la joie des enfants et invente en 1980 le prince de Motordu, personnage qui devint rapidement une véritable star. Lorsqu'il veut raconter ses histoires, Pef utilise deux plumes, l'une écrit et l'autre dessine. Depuis près de vingt-cinq ans, collectionnant les succès, Pef parcourt inlassablement le monde entier à la recherche des glaçons et des billes de toutes les couleurs, de la Guyane à la Nouvelle-Calédonie, en passant par le Québec ou le Liban. Il se rend régulièrement dans les classes pour rencontrer son public à qui il enseigne la liberté, l'amitié et l'humour.

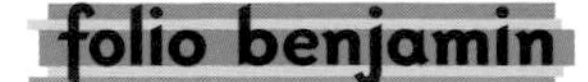

Si tu as aimé cette histoire
de Pef, découvre aussi :

La belle lisse poire
du prince de Motordu 27
Le petit Motordu 28
Au loup tordu ! 78
Moi, ma grand-mère... 79
Motordu papa 80
Le bûcheron furibond 106

Et dans la même collection :

Les Bizardos 2
La famille Petitplats 38
Le livre de tous les bébés 39
Le livre de tous les écoliers 40
écrits et illustrés par
Allan et Janet Ahlberg
Les Bizardos rêvent de dinosaures 37
écrit par Allan Ahlberg
et illustré par André Amstutz
Madame Campagnol la vétérinaire 42
écrit par Allan Ahlberg
et illustré par Emma Chichester Clark
Ma vie est un tourbillon 41
écrit par Allan Ahlberg
et illustré par Tony Ross
Le petit soldat de plomb 113
écrit par Hans Christian Andersen
et illustré par Fred Marcellino
La machine à parler 44
écrit par Miguel Angel Asturias
et illustré par Jacqueline Duhême
Si la lune pouvait parler 4
Un don de la mer 5
écrits par Kate Banks
et illustrés par Georg Hallensleben
De tout mon cœur 95
écrit par Jean-Baptiste Baronian
et illustré par Noris Kern
Le sapin de monsieur Jacobi 101
écrit et illustré par Robert Barry
Le monstre poilu 7
Le retour du monstre poilu 8
Le roi des bons 45
écrits par Henriette Bichonnier
et illustrés par Pef
Les cacatoès 10
Le bateau vert 11
Armeline Fourchedrue 12
Zagazou 13
Armeline et la grosse vague 46
Mimi Artichaut 102
écrits et illustrés par Quentin Blake

La véritable histoire
des trois petits cochons 3
illustré par Erik Blegvad
Le Noël de Salsifi 14
Salsifi ça suffit ! 48
écrits et illustrés par Ken Brown
Une histoire sombre, très sombre 15
Crapaud 47
Boule de Noël 96
écrits et illustrés par Ruth Brown
Pourquoi ? 49
écrit par Lindsay Camp
et illustré par Tony Ross
La batterie de Théophile 50
écrit et illustré par Jean Claverie
J'ai un problème avec ma mère 16
La princesse Finemouche 17
écrits et illustrés par Babette Cole
L'énorme crocodile 18
écrit par Roald Dahl
et illustré par Quentin Blake
Au pays des tatous affamés 107
écrit par Lawrence David
et illustré par Frédérique Bertrand
Comment la souris reçoit une pierre
sur la tête et découvre le monde 66
écrit et illustré par Etienne Delessert
Gruffalo 51
écrit par Julia Donaldson
et illustré par Axel Scheffler
Le Noël de Folette 104
écrit et illustré par Jacqueline Duhême
Fini la télévision ! 52
écrit et illustré par Philippe Dupasquier
Je ne veux pas m'habiller 53
écrit par Heather Eyles
et illustré par Tony Ross
Tiffou vit sa vie 115
écrit par Anne Fine
et illustré par Ruth Brown
Mystère dans l'île 54
écrit par Margaret Frith
et illustré par Julie Durrell
Mathilde et le fantôme 55
écrit par Wilson Gage
et illustré par Marylin Hafner
C'est trop injuste ! 81
écrit par Anita Harper
et illustré par Susan Hellard
La famille Von Raisiné 56
Suzy la sorcière 57
écrits et illustrés par Colin
et Jacqui Hawkins

folio benjamin